1.99

W9-BTF-820

SE CROISER
SANS SE VOIR

Jean-Laurent CAILLAUD

SE CROISER
SANS SE VOIR

PRESSES
DE LA
RENAISSANCE

Ouvrage réalisé
sous la direction éditoriale
de Christophe RÉMOND

Si vous souhaitez être tenu(e)
au courant de nos publications,
envoyez vos nom et adresse, en citant ce livre,
aux Éditions des Presses de la Renaissance,
12, avenue d'Italie, 75013 Paris.
Et, pour le Canada,
à Interforum Canada inc.,
1055, bd René-Lévesque Est,
11ᵉ étage, bureau 1100,
H2L 4S5 Montréal, Québec.

Consultez notre site Internet :
www.presses-renaissance.com

ISBN 978.2.7509.0326.8
© Presses de la Renaissance, Paris, 2007.

Pour Sophie et Léa.

Note à l'attention du lecteur

Les messages ici rassemblés sont authentiques. Par souci de fidélité envers leurs auteurs, pas une ligne n'en a été modifiée. De même, l'orthographe a été conservée telle quelle.

Pour la bonne compréhension de l'histoire, nous nous sommes en revanche permis de les dater et de les classer par ordre chronologique.

République française
Ville de Paris
Le 21 août 1943,
Frédéric de Bois-Léger
est mort pour la France,
abattu par la Gestapo devant le
149, boulevard Saint-Michel

Vous qui passez aujourd'hui devant cet immeuble, ayez une pensée pour Frédéric.

Il est mort pour vous. Le 21 août 1943, il s'est fait descendre par les Allemands dans le dos.

Il avait 19 ans. C'était le gars le plus formidable du monde, et mon meilleur ami.

Il voulait faire le tour du monde après la guerre.

Il a pas pu.

[21 août]

Vous qui voyez cette plaque de marbre, ayez une pensée pour Frédéric.

Spécialement aujourd'hui. Il est mort le 21 août 1943.

Ça fait plus 60 ans mais il faut pas oublier. C'était un résistant.

Il s'est fait tuer par les Allemands.

A 19 ans. C'était mon meilleur ami.

Merci.

[21 août]

Monsieur,

En partant travailler ce matin, j'ai vu le mot que vous avez scotché sur la plaque du boulevard Saint-Michel. Je ne saurais vous dire comme j'ai été émue par ces quelques lignes. Je ne sais pas quoi dire. Je trouve fantastique que, soixante ans après la mort de votre ami, vous soyez encore là pour parler de lui. Il devait être quelqu'un d'exceptionnel. Je penserai à lui aujourd'hui.

Emma

[22 août]

Monsieur,

La lettre que j'ai déposée à votre attention en la glissant sur la plaque commémorative du boulevard Saint-Michel avait disparu à mon retour du bureau hier soir. J'espère c'est vous qui l'avez prise. J'ai acheté quelques tulipes en sortant du métro. Je vais les accrocher à la plaque. Je pense que ça fera joli.

Emma

[23 août]

Monsieur,

C'est incroyable. En partant travailler hier matin, j'ai accroché des tulipes derrière la plaque de marbre, en les coinçant contre le mur. Et quand je suis rentrée du bureau, mes tulipes étaient disposées dans un petit vase en plastique posé par terre ! C'est vous qui les avez arrangées ?

Emma

[25 août]

Mademoiselle,

Merci pour les tulipes. Frédéric adorait les fleurs. Il disait tous le temps qu'il
aimait la nature. Je ne sais pas où il est
mais je pense qu'il est content, grâce à ce
que vous avez fait pour lui. Mais pour le
vase, je sais pas qui c'est.

[26 août]

Monsieur,

Ça me fait un drôle d'effet d'écrire des lettres à un inconnu. Vous allez me trouver sotte, mais c'est un peu comme si j'écrivais à mon grand-père. Je ne l'ai jamais connu. Il est mort en 54, et moi, je suis née en 1978. Il aurait 82 ans aujourd'hui s'il avait vécu. Si je calcule bien, Frédéric devait avoir à peu près le même âge que lui. Et vous aussi, à peu près. Pardonnez-moi de vous écrire mes histoires, vous me direz si ça vous embête. Pour les tulipes, vous souhaitez que j'en achète d'autres quand elles seront fanées ?
Amicalement,

Emma

[28 août]

Mademoiselle,

Vous êtes très maligne. J'aurai bien
82 ans en octobre de cette année. Et mon
cher Frédéric, comme votre grand-père
aussi. Ça me fait bien plaisir de trouver
vos petites lettres accrochées au mur.
Pour les fleurs, faite comme vous voulez.
Vous êtes gentille. Merci.

Cher Monsieur,

J'ai vu votre mot sur le mur du boulevard Saint-Michel. Je ne pense pas avoir
l'honneur de vous connaître, d'autant que
votre lettre est anonyme. Je me permets
de vous écrire ces lignes pour vous signa-
ler qu'une permanence de la section
anciens combattants du Ve arrondissement, section que je préside, se tient tous
les mardi, mercredi et vendredi de 14 h à
17 h à la Mairie, place du Panthéon,
bureau 112, 1er étage bâtiment C.

N'hésitez pas à vous joindre à nous,
nous sommes toujours enchantés d'accueillir de nouveaux camarades.

Dans l'attente de vous compter parmi
nous, veuillez accepter l'assurance de ma
solidaire considération,

Colonel (ER) Jacques Gardette

Mademoiselle,

Vous avez l'air de vous intéresser aux histoires de la guerre. Je vais vous en raconter une. Une vraie. Frédéric et moi on était dans un réseau de résistants de Paris. Notre boulot c'était de faire circuler des messages pour préparer l'arrivée du débarquement. On n'avait pas été mobilisés à cause de la tuberculose, qu'on avait attrapés tous les deux. Alors on avait des vélos. Mais Frédéric ne devait plus être à Paris en août 43. Les allemands l'avaient repéré depuis plusieurs semaines. Tout le réseau était prévenu. Mais Frédéric, il avait dit à sa petite amie Florence qu'il pourrait jamais partir et la quitter et revenir quand tout ça ce serait fini. C'était un garçon brave. Même un peu fou, des fois. Alors il s'est caché dans la cave de l'épicerie de mon père, rue Gay-Lussac. Il devait plus bouger. On lui apportait tout le temps des choses pour manger. Mais ma mère était pas au courant. Un soir, elle a entendu du bruit alors elle a appelé mon père pour lui dire qu'y avait des voleurs dans le magasin. Mais mon père il savait pour Frédéric alors il a dit que ça devait être les rats. Alors ma mère elle a voulu descendre mais mon père l'avait empêchée. Ça a fait un drôle de boucan et Frédéric a préféré partir sans le dire à personne pour que mes parents aient pas de problèmes avec les Allemands. Quand je l'ai revu, il était mort. Je vous ai dit qu'il avait une petite amie qui s'appelait Florence. En fait, ils voulaient se marier tous les deux. C'était sa fiancée, comme il disait. C'est vraiment triste. Même si ça fait beaucoup d'années depuis.

C'est vraiment bien toutes les jolies fleurs. Vous êtes certaine qu'il y en a pas trop ?

[31 août]

Monsieur,

Je ne sais pas qui a mis les roses. Moi,
j'ai apporté des tulipes. Mais il faut croire
que d'autres personnes ont lu votre mot
et ont vu que quelqu'un avait mis des
fleurs. Je pense qu'ils ont fait ça pour
montrer qu'ils avaient été touchés par
votre message. A ce sujet, votre dernière
lettre m'a énormément émue. J'allais
prendre le métro avec mon amie Sylvie
pour aller travailler. Je lui ai dit que je
devais faire un crochet par le boulevard
Saint-Michel pour voir si j'avais du cour-
rier. Elle a dû me prendre pour une folle
ou une prétentieuse, parce que j'habite
rue Saint-Jacques, dans un petit studio
sous les toits. Il a fallu que je lui explique
toute l'histoire, avec les lettres, les fleurs,
la plaque et le vase ! Elle était persuadée
que je la faisais marcher. Que c'était une
mauvaise blague. Elle n'arrêtait pas de
me dire que ces choses-là n'arrivent
jamais à Paris, que les gens qui ne se

connaissent pas ne s'écrivent pas… Mais elle a bien été obligée de changer d'avis… Quand j'ai vu qu'une enveloppe dépassait derrière la plaque de marbre du 149, je me suis doutée que c'était pour moi. Ça m'a fait bizarre de voir cette enveloppe avec juste mon prénom marqué dessus. Je crois que je peux vous dire mon nom entier : je m'appelle Emma Chatrier. Dans le métro, j'ai raconté notre histoire à mon amie Sylvie. Elle m'a conseillé de me méfier. Elle m'a dit que ce n'était pas prudent d'écrire à un inconnu. Avec toutes ces histoires qu'on entend dans les journaux. Mais moi je sens que vous êtes gentil. Et peut-être un peu triste.

J'ai attendu d'être tranquille à ma pause de 10 h pour ouvrir votre lettre. J'ai failli pleurer. Comment Frédéric s'est-il fait attraper par les Allemands ?

Amicalement,

Emma Chatrier

[1er septembre]

Emma,

    Vous me faites confiance et vous avez bien raison. Je ne suis qu'un vieillard tout seul avec ses souvenirs du passé. Mais votre amie a raison aussi si elle dit qu'il faut se méfier des gens qu'on connaît pas. Vous voulez savoir pourquoi Frédéric a été attrapé ? C'est un peu compliqué. Mais surtout, c'est que quelqu'un l'a trahi, ça j'en suis sûr. Comme je vous l'ai dit, il est parti de chez mes parents pour pas les mettre dans les embêtements. Ce qu'il savait pas, c'est que ma mère était aussi dans la résistance. Mais vous savez ce que c'était, le mari devait rien dire à la femme, et la femme pouvait rien dire au mari. Comme ça, le secret était bien gardé, même s'ils pensaient tous les deux la même chose face aux Allemands. Alors, quand mes parents se sont bien engueulés, ma mère elle pensait que mon père faisait du marché noir. Un épicier qui cache des trucs dans sa cave, on en avait vu des tas.

Des salauds, pardonnez-moi l'expression. Mon père, c'était pas ça, au contraire. Mais ma mère elle était en pétard contre lui. Et moi je pouvais rien lui dire.

Je savais pas qu'elle faisait aussi de la résistance.

Excusez-moi mais je suis fatigué. Je suis bien vieux et je peux pas écrire trop longtemps.

Ça me fait mal à mes rhumatismes.

Je vous dirai la suite un autre jour.

Au revoir Emma.

[1ᵉʳ septembre]

    Merci à vous qui passez devant ce mur de mettre des fleurs.

    Ça fait plus de soixante ans que Frédéric a été tué par les Allemands.

    Vos fleurs disent pourquoi il s'est battu. Merci. C'était mon meilleur ami.

Cher Monsieur,

Je suis un touriste allemand de passage à Paris avec ma famille. Nous repartons demain. Mon nom est Heinz Wölf, je suis professeur de français à Ravensburg, j'ai 47 ans. Ma femme s'appelle Ilda, nous avons deux filles jumelles prénommées Gisela et Heidi. Nous avons décidé de les amener à Paris pour fêter l'anniversaire de leurs 18 ans. Leur grand-père, le père de ma femme, y vivait pendant la guerre mondiale. Amoureux de la France, il parlait votre langue à la perfection, ce dont je suis encore trop éloigné. Il se trouvait à Paris en tant qu'interprète à l'ambassade du IIIe Reich. J'ai souvent conversé avec lui, lorsque j'eus fait sa connaissance en 1983. Cet homme délicieux se sentait toujours malheureux face à ce que ses compatriotes avaient provoqué le jour où ils choisirent de placer l'abject Hitler au pouvoir. Mon beau-père considérait qu'il portait une part de responsabilité dans ce drame, comme beaucoup d'hommes et de femmes de cette génération. C'est pourquoi il a souhaité que ses enfants parlassent français. Peut-être était-ce une manière de rendre hommage à ce pays qu'il adorait. Et c'est à l'Université de Stuttgart, quand j'étais moi-même étudiant en français, que j'ai fait la connaissance d'Ilda. Notre infinie dévotion pour Molière, Hugo et Maupassant nous a rapprochés. Dès que nous fûmes mariés, nous vînmes en France pour les vacances. Quand nos filles eurent 4 ou 5 ans, nous les emmenâmes camper en Bretagne. Mais nous voulions attendre qu'elles fussent plus âgées pour leur faire découvrir Paris. Un bonheur que nous partageons avec elles depuis le début de cette semaine.

Et ce matin, nous avons visité le jardin du Luxembourg. Ayant décidé de continuer à pied vers le Panthéon, nous avons vu toutes ces fleurs posées sur le trottoir du boulevard Saint-Michel. Ma fille Gisela m'a demandé la signification de tout ceci. Nous nous sommes alors approchés et avons vu votre missive, accrochée sur le mur grâce à du ruban adhésif. Je peux témoigner que notre émotion a été grande. Je crois qu'il est impossible que des Allemands ne se sentent pas concernés devant une démarche de ce genre. Le 21 août, date anniversaire de la mort tragique de ce Frédéric de Bois-Léger, est dépassé depuis presque un mois. Mais j'ai l'impression que les fleurs ont déjà été renouvelées. Il est très émouvant de contempler tous ces bouquets. J'en ai compté 17 ! Quand nous étions là, nous avons croisé deux jeunes étudiants, un garçon et une fille, qui venaient pour déposer un pot contenant un hortensia bleu. Je leur ai demandé ce qu'ils faisaient. Ils m'ont raconté qu'ils étudiaient le droit et qu'ils partageaient une chambre rue Monsieur-le-Prince. Ils m'ont ensuite expliqué que depuis le 21 août de cette année 2006, les gens du quartier venaient fleurir la plaque de marbre apposée en mémoire de Frédéric de Bois-Léger.

Je me dois de vous dire que mon épouse et moi-même apprécions au plus haut point la délicatesse de cette si belle initiative. Je souhaite y participer à ma manière. Considérant qu'il y a objectivement trop de fleurs aujourd'hui pour que j'en rajoute, je suis allé mander le fleuriste au coin de la rue de l'Observatoire. Je lui ai laissé en dépôt une certaine somme d'argent, en lui demandant de déposer de ma part une gerbe de roses pour le soir de Noël. Appelons cela une modeste contribution à ce que vous, les Français, dénommez joliment le « devoir de mémoire ».

Voilà, j'espère que mon récit ne vous a pas importuné outre mesure. Il était à mes yeux important de réagir, et de montrer que les Allemands d'aujourd'hui ne sont pas responsables des fautes commises par leurs aînés. J'ignore votre nom, Monsieur, je vais donc glisser ma lettre derrièrc la plaque de marbre. J'ai remarqué qu'il y en avait d'autres. Peut-être la trouverez-vous…

Avec l'assurance de ma cordiale et respectueuse affection,

Heinz Wölf
PeterStrasse 11
Ravensburg, Allemagne

[10 novembre]

Bonjour Monsieur,

J'espère que vous vous portez bien. Rassurez-vous, je sais que le 11 novembre marque la fin de la 1re Guerre mondiale. Je suis nulle en Histoire, mais pas à ce point, quand même ! Il n'empêche que je me suis dit que ce serait bien de fleurir la plaque du boulevard Saint-Michel. Après tout, ce qui est important, c'est qu'on ait une pensée pour votre ami. N'est-ce pas ? Cela fait plus de deux mois que nous ne nous sommes pas écrit. J'espère que vous êtes en bonne santé. Moi j'ai eu quelques petits problèmes. Oh, rien de grave, mais j'ai dû quitter mon petit ami. J'ai appris par une collègue du bureau avec qui on sortait de temps en temps au restaurant qu'il lui aurait fait des avances. Alors forcément, je me suis mise en colère et je lui ai demandé de tout me dire. Et il m'a dit qu'il m'aimait mais qu'il ne pouvait se contenter de l'amour d'une seule femme, etc. Enfin, le blabla habituel. Je lui ai dit de reprendre ses affaires et de ne plus jamais remettre les pieds chez moi (parce qu'en plus il habitait chez moi, ce sale type). Je crois que ça m'a libérée d'un grand poids. Mais j'ai quand même été bien secouée. Me retrouver seule le soir, alors qu'on était ensemble depuis près d'un an, c'est dur. Heureusement, j'ai mes amies qui m'ont soutenue. Et hier soir, Sylvie m'a invitée à dîner chez elle. Comme par hasard, son frère Thierry était là. Il est célibataire, il a 31 ans (moi j'en ai 28) et je crois qu'il est un peu amoureux de moi. Mais c'est trop tôt pour que je me lance dans une nouvelle histoire. Enfin bref, au milieu du dîner (poulet à la moutarde avec tagliatelles fraîches), voilà que Sylvie se met à raconter l'histoire des fleurs et de la plaque de marbre du boulevard Saint-Michel. Thierry avait l'air très intéressé. Comme il a fait son service au ministère, il avait l'air assez au courant des histoires de commémorations et tout ça. Et il m'a demandé votre nom. Je lui ai répondu que je n'en savais rien. C'est vrai que vous ne m'avez jamais dit comment vous vous appelez. Mais bon, tout ça m'a donné l'idée de vous écrire à nouveau, et comme demain c'est le 11 novembre, j'ai acheté des fleurs. En cette saison, on ne trouve plus grand-chose, ou alors c'est hors de prix. Heureusement, il reste toujours les tulipes. Ça, on en trouve toute l'année. Et puis ça tient assez bien même quand il fait froid, les tulipes.

J'espère que vous allez bien et que vous trouverez ma lettre. Je la dépose à l'endroit habituel. J'espère aussi que je ne vous ai pas ennuyé avec mes histoires,

Je vous embrasse,

Emma Chatrier

[13 novembre]

S'il vous plaît,
Si c'était possible de pas coller trop de papiers sur le mur, parce que quand il pleut, ça dégouline et c'est très difficile après de nettoyer. Merci.
La gardienne du 149.

[23 novembre]

Bonjour Monsieur,

J'espère que vous allez bien. La lettre que je vous ai déposée au début du mois avait disparu à mon retour du bureau. Mais comme vous ne m'avez pas répondu, je ne suis pas certaine que ayez pu la prendre. J'ai l'impression que la gardienne de l'immeuble est assez énervée par tout ça et qu'elle les enlève…

J'ai rendez-vous avec Thierry (vous savez, le frère de mon amie Sylvie) samedi soir. Il m'a invitée à dîner. Au départ, j'avais refusé. Je trouve ça un peu lourd, comme manière. Ça me fait penser à ces rendez-vous arrangés qu'organisent les Américains pour caser leurs amis célibataires. Et puis j'ai réfléchi et je me suis dit que je ne risquais rien à accepter. Au moins, Thierry je le connais. Ce n'est pas comme d'aller dîner avec un inconnu. On ne sait jamais ce qui peut se passer. On entend tellement d'histoires horribles dans les journaux. Vous croyez que j'ai raison ?

Donnez-moi vite de vos nouvelles.

Emma

[16 décembre]

Gentille Emma,

Vous êtes une des seules qui se fait du souci pour ma santé. C'est gentil.

Vous savez, j'ai été à l'hôpital pendant un mois et demi.

Rien de bien méchant, mais c'est comme ça quand on vieillit.

Quand j'écoute vos histoires sur vos lettres, je me sens comme si j'étais plus jeune.

C'est bien.

Comme vous êtes gentille, je vous demande un service.

Il faut vérifier que des roses sont mises sous la plaque de Frédéric pour la Noël.

Je vais être obligé de retourner à l'hôpital pour je sais pas combien de temps.

Et les docteurs veulent pas que je sorte. Ils disent qu'il fait trop froid et que je suis pas en bonne santé. Je vais les écouter.

Alors promis, vous me direz si il y a des roses pour Noël ?

Vous êtes bien gentille,

Louis

[26 décembre]

Joyeux Noël Louis !

(vous me permettez de vous appeler Louis, je suis sûre)

Je vous rassure tout de suite, il y avait bien des roses sous la plaque. Pour qu'elles n'attrapent pas froid, elles étaient dans une espèce de cloche de plastique. J'ai fait quelque chose dont j'espère que vous serez content. Pour la messe de Noël, je suis allée à Notre-Dame. Je sais, ce n'est pas très original, mais c'est tellement beau. Avant de ressortir, je suis allée dans la petite chapelle qui est à droite quand on entre et j'ai acheté un beau cierge (le plus gros qu'ils avaient) et je l'ai allumé en me disant que ce serait celui de Frédéric. Vous allez me trouver bête, mais j'ai pleuré. Pas beaucoup, juste une ou deux larmes. Je trouve tellement triste que des jeunes soient morts et qu'on les oublie. Au moins, Frédéric, comme ça, ne sera pas oublié. J'irai faire un saut demain pour voir où en est le cierge. Un prêtre qui se trouvait là m'a dit qu'un cierge comme ça pouvait brûler plusieurs semaines. Je lui ai dit pour qui je l'avais allumé et il a accepté de le bénir.

Mais dites-moi, si vous ne pouvez pas sortir à cause du froid, vous ne pourrez jamais prendre cette lettre ?

Affectueusement,

Emma

[28 décembre]

Jeune Emma,

En fait, je suis pas resté trop longtemps à l'hôpital.

Ils m'ont fait plein de contrôles et tout ça, mais bon, je suis pas encore foutu…

J'ai bien eu votre lettre. Je suis très ému par ce que vous avez fait à Notre-Dame.

Je ne sais pas où est Frédéric maintenant, mais je suis sûr qu'il vous a vue faire.

Vous savez, il est mort à 19 ans. C'est bien loin, tout ça maintenant.

Je suis un vieillard tout seul, maintenant. Frédéric était très chrétien.

Plus que moi en tout cas. Il aurait pas aimé rater la messe.

Enfin, je veux pas vous embêter avec mes histoires. C'est presque le bout de l'an.

Vous allez danser, ou quelque chose qu'on fait quand on est jeune. C'est bien.

Bonne année, gentille Emma,
Louis

Bonne année Louis

Je suis rassurée de savoir que vous allez bien et que vous êtes rentré chez vous. Il faudra quand même un jour que vous me disiez où vous habitez, pour que je puisse venir vous voir. J'aimerais vraiment connaître toute votre histoire, savoir comment Frédéric est mort. Et ce serait tellement bien si vous me le racontiez de vive voix. Thierry m'a embrassée, hier soir. Au départ, c'était juste pour me souhaiter la bonne année, mais le baiser sur les joues a duré un peu plus longtemps que prévu. Il est gentil. Je crois que je suis amoureuse. Au moins un peu. En fait, je ne sais pas trop. On verra bien. Il travaille à la télévision, comme technicien à l'informatique. Il m'a dit que si je voulais il pourrait m'emmener visiter les studios. Je crois que je vais accepter. Ça va me faire tout drôle de voir comment ça marche, la télévision. Vous la regardez, vous ?

J'ai acheté des chocolats pour vous. Je vais les accrocher à la plaque avec ma lettre. J'espère que personne ne va les voler.

Je vous embrasse.

Emma

Cher Camarade,

La section du Ve arrondissement se joint à moi pour vous présenter tous nos vœux pour cette nouvelle année. Je vous rappelle qu'une permanence des anciens combattants se tient tous les mardi, mercredi et vendredi de 14 h à 17 h à la Mairie, place du Panthéon, bureau 112, 1er étage bâtiment C. Frappez et l'on vous ouvrira. N'hésitez pas à vous joindre à nous, nous sommes toujours ravis d'accueillir des nouveaux camarades.

Dans l'attente de vous rencontrer, veuillez accepter l'assurance de ma fraternelle considération,

Colonel (ER) Jacques Gardette

[29 janvier]

Bonjour Louis,

Je fais tous les matins un petit détour avant d'aller travailler pour voir si j'ai une lettre qui m'attend derrière la plaque de Frédéric. J'ai pris mes petites habitudes, il y a un clochard très gentil qui me dit bonjour à chaque fois ! Mais ça fait un mois que je n'ai pas de vos nouvelles, je suis un peu inquiète. Pourvu qu'il ne vous arrive rien ! De mon côté, tout va bien. Maintenant j'en suis sûre, je suis amoureuse de Thierry. Et Sylvie, ma meilleure amie, qui est sa sœur, m'a dit qu'il m'aimait pour de bon. Si ça se trouve, je vais me marier !

Il fait bien froid en ce moment à Paris. Je ne serais pas surprise qu'il se mette à neiger un de ces quatre matins. Vous pouvez sortir de chez vous ?

Dans une de vos premières lettres, vous me disiez que Frédéric avait été trahi. Vous savez par qui ?

Amitiés,

Emma

[3 février]

Là c'est plus possible !

Si vous continuez tous, j'appelle la police,
maintenant. J'ai rien à voir avec vos histoires, moi.
Vos petits papiers qui salissent mon mur,
je vais les jeter et puis c'est tout.
Merci.
La gardienne du 149 en colère...

[12 février]

DE : Thierry
A : JEAN-LUC
OBJET : RECHERCHE ANCIEN
STANISLAS

Mon cher Jean-Luc

Juste un petit mail pour te demander un service. Je t'ai parlé de ma petite amie, Emma. Figure-toi qu'il lui est arrivé une histoire marrante. Depuis plus de six mois, elle correspond par lettre avec un type qu'elle ne connaît pas. Il a dans les 80 ans, on sait juste qu'il s'appelle Louis et qu'il était le meilleur copain d'un certain Frédéric de Bois-Léger, qui s'est fait tuer par les Allemands le 21 août 1943. En fait Emma accroche ses lettres en les coinçant derrière la plaque de marbre à l'endroit où il s'est fait tuer. Et le vieux lui répond de la même manière.

Je sais que tu as été élève à Stanislas. Et
grâce au vieux, on sait que Frédéric de
Bois-Léger aussi, et qu'il est mort à
19 ans en 1943. Tu crois que tu pourrais
retrouver sa famille en passant par les
anciens élèves ou quelque chose du même
genre ?
@mitiés,
Thierry

Jeune Emma,

Ça me fait toujours plaisir d'entendre vos histoires.

Alors comme ça, vous allez vous marier ? Vous pressez pas, vous êtes encore jeune.

Si votre Thierry vous aime vraiment, il attendra le temps qu'il faut.

J'ai vu qu'il y avait des fleurs boulevard Saint-Michel. C'est encore vous ?

Vous sentez pas obligée. Mais c'est gentil quand même.

Vous me demandez qui a trahi Frédéric. En fait, je sais pas qui l'a dénoncé. Ma mère a vu quand il s'est fait tuer. Elle revenait de faire la queue à la préfecture pour renouveler sa licence d'épicerie. Elle a tout vu et elle m'a raconté. Il marchait tranquillement vers la Seine, sur le trottoir de droite. Il était quelque chose comme 11 heures du matin. Deux Allemands en civil se sont approchés de lui par-derrière. Il l'ont pris chacun par un bras pour le bloquer. Alors ils ont enlevé ses godasses et dans la semelle de la chaussure de droite, ils ont trouvé un morceau de papier. Je sais pas ce qu'il y avait sur ce papier. Probablement un message pour la résistance. Frédéric a réussi à se dégager et il a commencé à vouloir s'échapper. Il avait pas fait deux mètres qu'un des Allemands a sorti un pistolet et lui a tiré deux balles dans le dos. Et Frédéric il est mort sur le coup. Et les deux Allemands sont repartis en le laissant sur le trottoir. Dans son sang.

C'est dégueulasse. Vraiment. Il avait que 19 ans. C'était encore un gamin.

Excusez si je m'énerve, mais j'ai jamais pardonné.

Ça me fait bizarre de vous raconter.

Louis

[27 février]

*Ces lignes s'adressent à tous
ceux qui pourront les lire.*

Nous habitons à 300 mètres de cette plaque, devant laquelle nous passons tous les jours. Nous ne sommes pas Parisiens d'origine. Je suis vendéen, et mon amie est québécoise. La chaîne d'amitié qui s'est nouée ici, entre des gens qui ne se connaîtront peut-être jamais, nous a réconciliés avec cette ville ! A plusieurs reprises nous avons déposé des fleurs, c'est notre manière à nous de participer à cette histoire.

Si nous avons décidé d'écrire ces quelques mots, c'est pour vous remercier du bonheur que vous nous donnez. Même involontairement.

Merci du fond du cœur,

Paul Duverney et Marie-Claire Devaud

Cher Paul,
chère Marie-Claire,

Je suis vraiment touchée de savoir enfin qui vous êtes. J'ai vu que je n'étais pas la seule à fleurir cette plaque. Je sais même qu'il y en a qui sont déposées par le fleuriste de la rue de l'Observatoire. Elles ont été commandées par un touriste allemand à la fin de l'été. Je pense que c'est vous qui avez mis les hortensias. En tout cas, c'est vraiment gentil d'avoir une pensée pour ce garçon qui est mort de manière aussi injuste. En fait, l'homme qui est à l'origine de tout ça était le meilleur ami de Frédéric de Bois-Léger. Il s'appelle Louis, je suppose qu'il vit dans le quartier puisqu'il vient chercher les lettres que je lui écris. Mais il reste très discret. Il doit avoir ses raisons.

J'aimerais bien vous rencontrer pour en parler. Si vous voulez, on peut se retrouver un soir quand je sors du travail, vers 18 h, dans un café du boulevard.

A bientôt j'espère,

Emma
(si vous voulez me donner rendez-vous, laissez un mot sur le mur)

[5 mars]

Bonjour Louis,

J'ai été tellement peinée à la lecture de votre dernière lettre.

Non pas à cause de ce que vous m'avez écrit, au contraire, ça me fait toujours plaisir. Mais le fait de penser à ce pauvre Frédéric, qui a essayé de s'échapper quand les Allemands l'ont attrapé… Dire qu'ils l'ont tué dans le dos puis laissé sur le trottoir, c'est vraiment ignoble. Comment peut-on faire ça ? Même s'il avait un message caché dans sa chaussure, ce n'est pas une raison.

Vous avez dû être bouleversé devant une telle horreur. Est-ce qu'au moins on a pu l'enterrer dignement ?

Je suis désolée de retourner autant de mauvais souvenirs pour vous, mais je me sens concernée, maintenant. Alors que je ne vous connais même pas en vrai.

Frédéric de Bois-Léger était certainement quelqu'un de bien. Un héros, c'est

sûr. Et c'est fantastique de voir quel ami
fidèle vous êtes.

Portez-vous bien.
Avec toute mon affection,

Emma

Jeune Emma,

C'est bientôt le printemps. Vous êtes jeune, vous allez pouvoir profiter du soleil, des fleurs et des oiseaux. Profitez de la vie pendant que vous n'avez pas de souci. Pour moi, c'est toujours pareil. Je réfléchis au passé. Et c'est pas toujours drôle.

Quand Frédéric est mort, j'étais pas là. Je sais pas si j'aurais pu faire quelque chose. Ma mère a prévenu mon père, qui est sorti en courant de l'épicerie. Ils ont mis une couverture sur le corps en attendant que la police vienne. Ils avaient tous très peur, faut les comprendre. Même des gens ont dit qu'on devait rien faire pour pas avoir des ennuis. Moi j'étais pas un résistant courageux. Pas vraiment.

Ce jour-là, j'étais aux Halles pour chercher du pain pour l'épicerie.

Mais y en avait pas. Comme d'habitude.

Quand je suis revenu, j'ai compris que ça allait pas. Ma mère pleurait et elle m'a

dit que Frédéric avait été tué par les Allemands. Elle m'a tout raconté. J'ai couru
au lycée où était Florence, sa fiancée,
pour la prévenir. Mais ils m'ont dit
qu'elle était partie. Ce qui est bizarre,
c'est qu'elle est même pas venue à l'enterrement. Je me dis que c'est pas normal
qu'on aille pas à l'enterrement de son
fiancé. Si ça se trouve, elle savait même
pas ce qui s'était passé. On saura jamais.

Profitez bien de la vie et de votre
amoureux.

Louis

[26 mars]

Bonjour Louis,

Quand je lis vos lettres, je suis en même temps contente et triste. Je suis content parce que j'aime bien avoir de vos nouvelles. Mais je suis triste parce que l'histoire de Frédéric est bien triste. Je ne savais pas que sa fiancée n'avait pas pu venir à l'enterrement. C'est horrible. Il faudrait essayer de la chercher. Si ça se trouve, elle vit encore. Et elle est mariée, grand-mère et tout.

Il faut faire quelque chose. Vous vous souvenez de son nom de famille ?

Emma

Bonjour jeune Emma,

Pour Florence, je me souviens pas de son nom. Ça remonte à si loin.

Et puis moi, je l'appelais que Florence… Elle était jolie comme tout, avec des cheveux coiffés à la mode de cette époque.

Mais je saurais pas vous expliquer comment ils étaient, ses cheveux.

J'ai jamais très bien su parler aux femmes.

Si elle est encore vivante, elle a changé, c'est sûr. Comme tout le monde.

Je sais pas si je pourrais la reconnaître.

Ça doit être une grand-mère, alors.

J'ai beaucoup de tristesse, vous savez, à penser à tout ça.

Mais vous êtes bien gentille quand même.

Louis

DE : JEAN-LUC
A : THIERRY
OBJET : RE : RECHERCHE ANCIEN
STANISLAS

Hello Thierry.
Ton histoire d'anciens combattants, ça
m'a demandé un sacré boulot. Ça a été
assez facile de retrouver Frédéric de
Bois-Léger dans la liste des classes
d'avant la guerre. Il a été à Stan' de 1934
à 1937. J'ai même retrouvé ses bulletins.
Pas vraiment le genre bon élève, ton
copain. Plutôt habitué des conseils de dis-
cipline. Une fois il s'est amusé à repein-
dre la grille d'entrée en bleu-blanc-rouge
pour le 11 novembre. Il a dû passer ses
vacances de Noël à Stan' avec le gar-
dien…
Le problème, c'était de retrouver sa
famille. Ils habitaient au 28 rue d'Assas,
en face de la Catho. Mais aucune trace

d'eux après la guerre dans les archives de Stan'.

Alors j'ai appelé tous les numéros de téléphone que j'ai pu trouver dans les pages blanches sur Internet pour le 28, rue d'Assas. Personne ne sait ce que sont devenus les Bois-Léger.

Finalement, je me suis tapé les pages blanches de tous les départements de France un par un sur Internet. Et là, bingo !, j'ai retrouvé son frère :

Raoul de Bois-Léger,
22, chemin des Oliviers
38240, Meylan.

J'ai même son téléphone : 04 76 80 xx xx. Je l'ai appelé, il est plutôt sympa. C'est lui qui m'a dit qu'il était le petit frère de Frédéric. Je lui ai raconté ton histoire. Il se souvient pas d'un Louis. Mais tu peux l'appeler, je lui ai dit que tu allais le faire ;

@+

Jean-Luc

[9 avril]

DE : THIERRY
A : EMMA
OBJET : Fw : Re : RECHERCHE
ANCIEN STANISLAS

Mon cœur,
Je te fais suivre le mail que vient de
m'envoyer Jean-Luc. Il a assuré un maxi-
mum. Comme tu le verras, il a retrouvé la
trace de Raoul, le petit frère de Frédéric
de Bois-Léger.
Dès que tu es rentrée ce soir, on l'appelle
ensemble.

@@ tout à l'heure,

Je t'aime

Thierry

[14 avril]

Emma,

Nous sommes désolés d'avoir mis autant de temps à vous répondre, mais nous avions tellement de travail avec nos études. Les examens de fin d'année approchent à grands pas... Si vous voulez toujours que nous nous rencontrions, rendez-vous mercredi 19 avril à 19 h au Withney Pub, 39 rue Monsieur-le-Prince. Vous nous reconnaîtrez facilement, nous aurons chacun un bonnet.

Paul et Marie-Claire

[17 avril]

S'il vous plaît,
C'est bien gentil vos histoires mais c'est
toujours moi qui dois nettoyer les fleurs
fanées et les papiers. Si vous voulez pas
que j'appelle la police, il faut nettoyer
tout ça. Et vite.
Merci.
La gardienne du 149.

[18 avril]

Cher Monsieur,

Je suis professeur de français en Allemagne, vous vous souviendrez peut-être de la missive que je vous ai adressée à la fin de l'été dernier. Lors de notre voyage de retour vers Ravensburg, mes filles m'ont à de nombreuses reprises interrogé sur ces échanges de lettres et de fleurs, auxquels j'ai participé de manière impromptue. Cela m'a donné l'occasion de leur parler de leur grand-père, décédé voilà maintenant une dizaine d'années, et du rôle qu'il avait joué en tant qu'interprète à l'ambassade d'Allemagne à Paris durant l'occupation de votre pays par les troupes du IIIe Reich. Comme de nombreux enfants et adolescents de leur âge, elles ont parfois du mal à dissocier le vrai du faux concernant cette époque ô combien troublée.

Si vous me permettez l'usage d'une expression idiomatique française absolument charmante, j'ai ainsi pu « remettre les pendules à l'heure » ! Car leur grand-père, vous vous en doutez, n'était en rien un fanatique, bien au contraire. C'était un esthète, un honnête homme au sens que l'on donnait à ce terme au XVIIIᵉ siècle. Un amoureux de la France entraîné bien malgré lui dans le tourbillon de l'histoire...

Cette stimulante conversation avec mes filles m'a donné l'idée d'organiser un voyage à Paris avec mes étudiants, pour leur permettre de mélanger l'utile à l'agréable en profitant des charmes de votre incomparable cité tout en perfectionnant leur niveau de français et en réfléchissant au poids de l'Histoire. Nous avons visité le Louvre, bien entendu. Qui n'a pas arpenté ses couloirs n'a rien vu de Paris. Devant leur insistance – ils ont entre 17 et 19 ans, il faut qu'ils se divertissent, vous en conviendrez –, nous avons été rendre nos respectueux hommages à la Tour Eiffel. Et je dois avouer que je n'ai pas boudé mon plaisir lors de l'ascension vers le troisième étage. Du Louvre à la Tour Eiffel, quel saisissant raccourci de ce qu'est le génie français... Je les ai ensuite menés au château de

Versailles, dont la visite les a, à ma grande surprise, beaucoup amusés. Cela leur a rappelé ce film américain dont le scénario repose en grande partie sur la vie intime de Marie-Antoinette. *O tempora, O mores…*

Le troisième jour de notre voyage devait être consacré à la découverte du Paris que j'oserai qualifier « d'ordinaire ». Nous avons pris le métro et emprunté quelques bus, afin de nous imprégner de cette atmosphère si particulière, que l'on ne retrouve que dans votre capitale. Leur ayant raconté ce que j'avais vécu lors de mon précédent séjour, j'avais prévu de poursuivre jusqu'à la gare de métro Odéon, à l'intersection des lignes 4 et 10. Après avoir traversé les jardins du Luxembourg, je vous avoue avoir ressenti une certaine appréhension avant de les entraîner devant le 149, boulevard Saint-Michel. Car rien ne m'assurait que les échanges de lettres avaient encore cours, ni que les fleurs fussent toujours déposées et quotidiennement entretenues par des mains anonymes.

Par bonheur, je retrouvai les lieux tels qu'ils se présentaient dans mon souvenir : une poignée de messages accrochés au sommet de la plaque de marbre apposée là en mémoire de feu Frédéric de Bois-Léger, quelques bouquets de fleurs, des roses principalement, ainsi que des tulipes. Et un message de votre main, toujours aussi émouvant...

Tant que je vous parle d'émotion, deux de mes jeunes étudiantes, Caroline Reichle et Ulrike Meier, ont souhaité apporter leur pierre à l'édifice. Elles m'ont demandé l'autorisation d'acheter des fleurs dans le kiosque jouxtant la sortie Saint-Michel du métro express régional. Autorisation que je leur ai bien sûr accordée de bon cœur. Imaginez, cher Monsieur, notre petit groupe partant chercher une foule de menus bouquets pour revenir les déposer au pied du mur. C'était un spectacle absolument délicieux. Et je vous assure qu'à aucun des jeunes Allemands ici réunis, la portée symbolique de ce geste n'a échappé.

Tout le temps que dura notre modeste cérémonie, j'ai espéré, en vain, avoir l'honneur et l'avantage de vous rencontrer à cette occasion. Mais vous êtes certainement occupé à d'autres activités.

Soyez certain, Monsieur, que la mémoire de votre ami Frédéric de Bois-Léger repart avec chacun de nous outre-Rhin. Et je me fais fort de propager dans notre établissement le récit de cette singulière aventure.

Avec l'assurance de ma cordiale et respectueuse affection,

Heinz Wölf
PeterStrasse 11
Ravensburg, Allemagne

Post-scriptum : pardonnez-moi de ternir ce tableau, mais je n'ai qu'un regret. L'attitude pour le moins déconcertante de la gardienne de l'immeuble situé au 149 sur le boulevard Saint-Michel, soudain apparue tel un démon wagnérien, munie d'un balai de crin qu'elle maniait comme la mort son fléau pour nous menacer de mille périls si nous déposions nos fleurs. Souhaitant la rassurer quant à la noblesse de nos motivations, j'ai tenté de lui expliquer que nous arrivions d'Allemagne pour rendre hommage à Frédéric de Bois-Léger. Ce à quoi elle nous a répondu (et vous me permettrez d'ouvrir de déplorables guillemets) : « Je fais pas de politique, allez vous faire voir avec toutes vos fleurs. » J'imagine que cette pauvre femme n'est pas portée sur le rapprochement entre les peuples.

Bonjour Louis,

C'est incroyable. Grâce à vous, je me suis fait de nouveaux amis. Paul et Marie-Claire, c'est eux qui avaient mis les roses et les hortensias. Ils sont étudiants en droit, et ils habitent un studio rue Monsieur-le-Prince. En fait, on s'est connus en écrivant des petites lettres sur le mur. Ils m'avaient donné rendez-vous dans un café. Comme j'avais un peu peur de rencontrer des inconnus, j'ai demandé à Thierry de venir avec moi. Pour que je les reconnaisse, ils s'étaient mis des bonnets. Vous savez, ces petits bonnets comme les chanteurs à la télévision. Moi je pourrais jamais en mettre. Je crois que je serais ridicule avec un bonnet. Mais eux, ça leur va plutôt bien. Paul vient de La Rochelle et Marie-Claire du Canada. Mais elle n'a presque pas d'accent. Ils m'ont dit qu'ils voulaient se marier après leurs études. Ils veulent devenir avocats pour des associations, genre Greenpeace et compagnie.

Ils m'ont demandé de leur raconter toute l'histoire pour Frédéric. En fait, je sais pas grand-chose. Je leur ai dit comment il avait été tué. On a réalisé qu'il était plus jeune que nous quand il est mort. On s'est dit qu'il faudrait faire quelque chose. Mais quoi ? Vous êtes vraiment sûr que vous ne voulez pas que je vienne vous voir ? Pas forcément chez vous, on peut se donner rendez-vous dans un café, comme je l'ai fait avec eux.

Enfin, c'est vous qui décidez.

Je vous embrasse,

Emma

J'allais oublier ! Thierry m'aide à mener ma petite enquête pour retrouver des proches de Frédéric de Bois-Léger. Et nous brûlons !!! Je ne vous en dis pas plus pour l'instant, je veux garder l'effet de surprise si tout se passe comme je l'espère…

[22 avril]

Emma,

J'aime lire vos lettres.

Elles me rappellent quand j'étais jeune.

Je sais pas si on pourra se voir. C'est compliqué, vous savez.

En tout cas, c'est sûr que chez moi c'est pas possible.

Un jour, qui sait, vous comprendrez…

Pour le café on verra.

Vous dites que vous voulez faire quelque chose pour Frédéric.

Mais comme il est mort depuis plus de soixante ans, y a rien à faire.

Il y a des fois où je me dis que ça sert à rien de vouloir trop remuer le passé. Il faut juste se souvenir, pour pas oublier. Jamais.

Je suis content il recommence à faire beau.

A bientôt.

Louis

DE : THIERRY
A : JEAN-LUC
OBJET : Re : Re : RECHERCHE
ANCIEN STANISLAS

Salut Jean-Luc,
On a enfin réussi à joindre au téléphone
le type dont tu m'as trouvé les coordon-
nées. En fait, il était parti dans le Midi
pour les vacances de Pâques…
Pas très bavard, en effet, mais sympa.
Malheureusement, pas grand-chose à
en tirer. Il s'est quand même souvenu
du nom de la fiancée de son frère : Florence Deroi, ou Delois, ou quelque
chose de ce genre. Il m'a dit qu'elle
habitait dans le même immeuble
qu'eux, rue d'Assas. Mais il sait pas
pourquoi elle est pas venue à l'enterrement. Il avait que neuf ans en 43, on lui
a rien raconté à l'époque.

Encore merci. Ça fait plaisir à Emma de savoir qu'on avance.
@mitiés
Thierry

[28 avril]

Vous qui passez devant ce mur, dites merci à Frédéric de Bois-Léger.

Il a été tué dans le dos par les Allemands. C'était mon meilleur ami.

Il avait 19 ans.

Aujourd'hui, il fait beau, c'est le retour du soleil, vous pensez à vous amuser et à prendre du bon temps.

Et vous avez raison. Mais oubliez jamais que c'est des gars comme Frédéric qui ont fait qu'on est libres.

Bonjour Louis,

C'est génial,

Grâce à un ami de Thierry, nous avons retrouvé la trace du petit frère de Frédéric de Bois-Léger. Il s'appelle Raoul, il a maintenant 70 ans, il vit à côté de Grenoble, et nous lui avons téléphoné. Il avait 9 ans lorsque son frère est mort, et il se souvient très bien de sa mère quand elle s'est effondrée en hurlant, le jour où il a été abattu. Nous lui avons demandé s'il vous connaissait, mais il a en fait assez peu de souvenirs de cette époque. J'ai l'impression qu'il a un peu occulté les années de guerre, si vous voulez mon avis.

Ce qui est vraiment super, c'est qu'il se rappelle que la fiancée de Frédéric habitait le même immeuble qu'eux. Elle s'appelait Florence, mais ça, nous le savions déjà. Pour le nom de famille, c'est moins sûr. Peut-être Deroi.

Je vais mener ma petite enquête au 28 rue d'Assas et je vous tiens au courant.

Vous n'imaginez pas ce que je suis stressée. J'ai l'impression d'être un détective, mais en même temps, je ne peux m'empêcher de penser à ce pauvre Frédéric, qui est mort si jeune. Vous voyez, c'est comme si je le connaissais, maintenant.

A bientôt Louis, et dites-moi quand vous serez d'accord pour me voir.

Je vous embrasse,

Emma

[2 mai]

Bonjour Monsieur,
Je suis en 3ᵉ au Lycée Montaigne. Depuis la rentrée, je vois les lettres sur le mur devant chez moi. Et je dois faire un exposé pour la prof d'histoire sur le 8 mai 1945 et sur la fin de la guerre. Je me suis dit que ça serait bien si vous venez nous raconter comment c'était à Paris quand les Allemands étaient là.

Je ne sais pas qui vous êtes, mais vous avez l'air de vous y connaître. Si vous voulez me répondre, vous n'avez qu'à mettre une lettre sur le mur en marquant Florian dessus. Ou alors vous m'envoyez un texto au 06 71 xx xx xx.

Je vous dis merci d'avance.
Florian Deneuf

[4 mai]

Jeune Florian,
Tu es très gentil de t'intéresser aux histoires des gens de mon âge.
Mais je viendrai pas dans ton école. C'est trop difficile pour moi de raconter mes vieux souvenirs à des gens en public. Tu sais, j'étais pas beaucoup plus vieux que toi au début de la guerre. C'était vraiment un sale moment.
Je viendrai pas dans ton école mais si tu fais ton exposé, je te demande de penser à tous les gars qui sont morts pour résister.
Merci.
Louis

[7 mai]

Jeune homme,

Je représente la section des anciens combattants du Ve arrondissement. Nous tenons permanence tous les mardi, mercredi et vendredi de 14 h à 17 h à la Mairie, place du Panthéon, bureau 112, 1er étage bâtiment C. N'hésitez pas à venir nous rencontrer en compagnie de vos camarades. Nous sommes bien évidemment prêts à venir assurer une conférence dans votre lycée.

Et n'oubliez pas que demain, nous serons le 8 mai, date anniversaire de la capitulation allemande. Rejoignez-nous nombreux sous l'Arc de Triomphe pour les cérémonies officielles qui débutent à 11 h. Un bon conseil, mon jeune ami, essayez d'arriver une heure en avance pour avoir une bonne place.

Dans l'attente de vous rencontrer, veuillez accepter, cher jeune citoyen, l'assurance de ma considération,

Colonel (ER) Jacques Gardette

De Florence Deboise-Lavergne
À Mlle Emma Chatrier

Bourges,
Le 12 mai 2006

Mademoiselle,

La gardienne du 28, rue d'Assas m'a transmis votre lettre. Il se trouve que ma famille est encore propriétaire d'un appartement dans cet immeuble, même si nous n'y habitons plus depuis des années.

Quelle surprise de vous lire... Après toutes ces années, je pensais que cette histoire appartenait définitivement au passé. Il faut croire que je me suis trompée.

Je pense être en mesure de répondre à la plupart de vos questions.

Oui, j'étais fiancée à Frédéric de Bois-Léger. Nous nous connaissions depuis l'enfance, ayant grandi dans la même rue. J'avais 17 ans et lui 18 quand il m'a demandé de l'épouser. J'ai dit oui. Nous étions bien jeunes mais nous étions certains de la profondeur de notre amour. Il était évident que cette demande devait demeurer secrète. Au moins jusqu'à la majorité de Frédéric.

Vous allez trouver cela vieux jeu, mais à l'époque, nous ne songions même pas à nous embrasser. Nous tenir la main suffisait à notre bonheur. Quand j'ai eu 18 ans, il est allé trouver mon père pour lui présenter sa demande officielle. Mes parents furent surpris mais devant la fougue de ce brillant jeune homme, ils ne purent qu'accepter l'évidence. En raison de la tuberculose qui l'avait frappé au sortir de l'enfance, Frédéric était dispensé de se rendre au STO ou sous les drapeaux. Il entama de manière chaotique en ces temps troublés des études de médecine qu'il ne mena, hélas, pas à leur terme.

Il était entendu avec mes parents, et les siens, que nous pourrions nous marier dès qu'il aurait atteint le stade de l'internat. Mais la guerre et sa logique implacable en ont décidé autrement quelques mois plus tard...

Frédéric s'est engagé très tôt dans la Résistance. Ne pas combattre lui pesait, aussi songeait-il en permanence à rejoindre Londres. Mais, peut-être par amour pour moi, en tout cas par amour de Paris, sinon de la France, il resta rue d'Assas. Son statut d'étudiant lui laissait une certaine liberté de mouvement dans la ville. Aussi fut-il chargé par son réseau d'effectuer d'incessantes transmissions de messages entre ses responsables. Une activité aussi essentielle que dangereuse, mais dont Frédéric mesurait pleinement les risques. J'étais l'une des seules personnes de son entourage à connaître la vérité sur ses déplacements clandestins. En fait, je lui servais même d'alibi. Pour ses parents, et pour tout le voisinage, ses escapades n'avaient qu'un but : venir me rejoindre en cachette. Un marivaudage sur lequel tout le monde fermait les yeux. En ces temps troublés, la morale supportait de tels accrocs. Par la force des choses, Frédéric m'avait donc mise au courant de ses missions. Et c'est ainsi que je suis peu à peu devenue sa couverture.

Sans le vouloir, j'étais résistante à mon tour. De manière fort modeste, certes. Mais suffisante pour me faire courir des dangers bien réels. Je ne vais pas entrer dans de fastidieux détails, sachez cependant que nous avions mis en place un système d'alerte générale en cas de mise en danger de l'un d'entre nous. Et le 21 août 1943, ce qui pouvait m'arriver de pire est arrivé. Je fus prévenue en milieu d'après-midi au lycée par une surveillante qui avait reçu un coup de téléphone anonyme à mon intention. Le message était codé mais il ne laissait aucun doute, je devais fuir Paris en toute urgence. J'ai immédiatement senti dans ma chair que Frédéric avait été pris par les Allemands.

Nous avions longuement parlé de cette éventualité depuis mon entrée dans l'ombre. Nous nous étions juré de ne pas chercher à sauver l'autre, ce qui aurait été vain, mais de fuir le plus vite possible. Pour vivre. Ou survivre. C'est donc ce que j'ai fait, en quittant Paris en train pour rejoindre mes grands-parents à Chartres.

J'ai vécu là dans l'angoisse des jours atroces et des nuits blanches. Sans nouvelles de Frédéric. Je ne voulais pas me résoudre à l'inévitable. Ce n'est que le 4 septembre que j'ai reçu une lettre codée de la part d'un membre de notre réseau. Ce message faisait de moi une veuve avant même mon mariage. Il m'apprenait aussi que l'homme que j'aimais avait été enterré deux jours plus tôt. Sans que je puisse assister à ses funérailles.

Je ne suis rentrée à Paris qu'un an plus tard, avec la Libération. J'ai immédiatement rendu visite aux parents de Frédéric. Ils étaient effondrés, comme vous pouvez l'imaginer. Ils m'ont priée de ne plus revenir les voir. Leur demande m'a dans un premier temps choquée. J'ai mis du temps à comprendre qu'ils voulaient me protéger. Je devais penser à la vie, penser à ma vie future. Je suis allée une seule fois sur la tombe de Frédéric. Je lui ai parlé. Longtemps. Puis je suis retournée à Chartres. Et j'ai alors mené une vie aussi normale que le permettaient les circonstances. Quelques années plus tard, je me suis mariée. J'ai eu des enfants.

J'ai été heureuse. Mais il ne s'est pas passé une journée sans que je pense à Frédéric. Oh, pas nécessairement pendant des heures. Le plus souvent, c'est juste une impression fugitive. Un flash, comme vous diriez à votre âge. Il est avec moi, il ne m'a jamais quittée. Je dirais même qu'il m'a soutenue.

Voilà, vous savez tout de mon histoire. Elle est à la fois triste et gaie. Triste parce qu'on ne se remet pas du décès de l'homme qu'on aime. Gaie parce que j'ai eu la chance de rencontrer Frédéric, de l'aimer. Et surtout parce que Dieu m'a permis de me reconstruire.

Je vous remercie de vous intéresser ainsi au passé. C'est une bonne chose que les jeunes générations se souviennent de celles et ceux qui, à leur âge, ont donné leur vie pour un idéal.

Frédéric était de ceux-là. Et même si le destin ne l'a pas permis, il était de la trempe de ceux dont les noms sont entrés dans l'Histoire, et dont la vie vous fut enseignée à l'école. Ne croyez pas que j'enjolive son souvenir. Il suffisait de le regarder dans les yeux pour sentir qu'il était habité par des sentiments, certes parfois confus, mais dont la grandeur ne devait rien à son jeune âge. Patriote, humain, généreux, volontiers turbulent, Frédéric de Bois-Léger était à 19 ans un homme accompli. Son sacrifice, le mot n'est pas trop fort, lave à mes yeux bien des compromissions auxquelles j'ai assisté à l'époque. L'Occupation est une période dont notre pays mettra encore des années à se remettre. Rien n'était blanc, rien n'était noir, à chacun de trouver sa vérité entre collaboration, passivité et résistance. C'est à vous, les jeunes générations, que revient le difficile exercice de comprendre, de juger sereinement, avec des yeux apaisés... Et c'est vous, aussi, hélas, qui devrez peut-être un jour reprendre le flambeau que Frédéric a brandi. Pardonnez-moi ce pessimisme, mais j'ai trop vécu pour oser croire que les hommes ne commettront plus, demain, les erreurs du passé. La Résistance ne s'est pas éteinte à la Libération. Elle est en chacun de nous.

Recevez, Mademoiselle, l'assurance de mon affectueuse considération.

Florence Deboise-Lavergne

PS : quelle étourdie je fais ! Vous me demandez si je me souviens d'un certain Louis qui aurait été le meilleur ami de Frédéric. Bien sûr, il s'agit de Louis Préaumont. Il habitait vers le Panthéon, ses parents étaient épiciers. Je n'ai jamais eu de ses nouvelles après ce 21 août 1943. Je ne vous serai donc pas d'une grande aide, mais cherchez et vous trouverez.

[13 mai]

Louis,

Il faut absolument que je puisse vous voir. Dites-moi où vous habitez, je vous en prie. Je viens de recevoir une longue lettre de Florence. Oui, vous avez bien lu, la fiancée de Frédéric. Elle n'habite plus Paris. Elle s'appelait Florence Deboise, ça doit forcément vous rappeler quelque chose. Elle, en tout cas, se souvient très bien de vous.

Je vous en supplie, Louis… Après, je ne vous dérangerai plus…

A très vite,

Emma

[14 mai]

Bonjour Monsieur,
Pour mon exposé sur la fin de la guerre, j'ai apporté votre lettre en classe. Ce qui a trop intéressé les autres, c'est quand vous dites que vous aviez notre âge au début de la guerre. Nous, on l'avait pas réalisé. Pour nous, la guerre, c'est que dans les livres d'histoire ou dans les films de guerre. Et c'est toujours des gens un peu vieux qui en parlent. Mes grands-parents étaient même pas nés, donc ils ne peuvent pas m'en parler. Alors là, se dire que c'était des jeunes comme nous qui se battaient, ça fait drôle. Enfin, pas vraiment drôle, mais bizarre.
Après mon exposé, on a fait comme vous avez demandé dans votre lettre. On a fait une espèce de prière pour les garçons qui sont morts pour résister. C'est le prof d'histoire qui a eu l'idée. Il a dit que c'était une minute de silence. Je suis pas

sûr que ça faisait vraiment une minute, mais le silence, on l'a fait. C'était trop bizarre.

Je sais que vous voulez pas qu'on vous dérange, mais mon prof a dit que ce serait vraiment bien si vous veniez dans notre classe. Pour trouver le lycée Montaigne, c'est trop facile, c'est au 17 rue Auguste-Comte. Et le téléphone, c'est le 01 44 41 xx xx.

Au revoir Monsieur,

Florian Deneuf

[17 mai]

Jeune Florian,

Tu es vraiment un gentil garçon. Je sais bien où est le lycée montaigne, rue auguste comte. J'y ai usé mes fonds de culottes jusqu'en 3ᵉ. Toi aussi, tu en 3ᵉ. Peut-être que tu es sur le même banc que moi... Mais non, c'est bête de dire ça. Même le lycée montaigne a changé, depuis la guerre. Ça doit être bien moderne, maintenant, avec des ordinateurs et tout...

Et je vais t'apprendre une chose en plus que tu savais pas pour la raconter à tes copains : le dernier jour de la libération de Paris, y a eu plein de combats entre les blindés allemands et les chars français dans le quartier. C'est parce que le sénat est pas loin. Et les derniers boches qui se sont rendus, ils étaient au lycée montaigne. Je le sais, je l'ai vu avec mes yeux.

J'ai réfléchi à ce que tu me demandes. J'aimerais bien venir dans ta classe.

Mais tu sais, Florian, ça fait longtemps que je ne parle plus aux gens de ce qui s'est passé pendant la guerre. J'ai mes raisons.

De toute façon, je suis encore malade, et je vais devoir aller à l'hôpital.

Et cette fois-ci, je sais pas combien de temps je vais y rester.

Mais je te promets une chose. Dès que je suis guéri, je prends du papier et j'écris mes souvenirs pour te les raconter. Et je les déposerai dans la boîte aux lettres du lycée.

Comme ça, tu sauras beaucoup de choses qui se sont vraiment passées, et tu pourras faire un autre exposé l'année prochaine.

Je suis sûr que tu es un bon élève, un garçon travailleur. Alors écoute mon conseil.

Profite de l'école pour apprendre tout, et après tu pourras aller dans une université pour devenir quelqu'un d'important.

Pas comme moi…

Et dis merci à ton professeur d'histoire et à tes copains de 3ᵉ pour la prière pour les jeunes qui sont morts pendant la guerre.

Au revoir,

Louis

Mlle Emma Chatrier
240, rue Saint-Jacques
75005 Paris

Secrétariat d'Etat aux
Anciens Combattants
Service des Archives

Paris, le 3 juin 2006

Madame, Monsieur,

Je vous lance un appel au secours.
Depuis presque un an, je corresponds
avec un monsieur qui s'appelle Louis
Préaumont, qui a 82 ans, qui habite Paris
et qui était résistant pendant la 2e Guerre

mondiale. Son meilleur ami s'appelait Frédéric de Bois-Léger, il a été abattu par les Allemands le 21 août 1943 devant le 149, boulevard Saint-Michel.

Il serait trop long de vous raconter l'histoire en entier, mais sachez que nous avons retrouvé l'ancienne fiancée de Frédéric de Bois-Léger, qui avait dû quitter Paris en catastrophe le 21 août, sinon les Allemands l'auraient arrêtée. Louis Préaumont a toujours pensé qu'elle avait fui, sans prendre la peine de venir à l'enterrement de son fiancé.

Enfin bref, je veux les réunir. Mais je n'ai pas l'adresse de Louis, car nous correspondons en laissant des messages sur un mur du boulevard Saint-Michel.

Je sais, c'est un peu compliqué, mais aidez-moi à retrouver Louis Préaumont. J'ai peur qu'il ne soit gravement malade.

Mille, mille, mille mercis,

Emma Chatrier

[16 juin]

Louis,

Je suis très très inquiète de ne plus avoir de vos nouvelles. Allez-vous bien ? Si seulement je savais où vous habitez, je pourrais venir vous aider.

Dans deux jours, c'est le 18 juin.

Il y a une cérémonie à la mairie. Je vais y aller, peut-être y serez-vous ? je vous en supplie, venez, j'ai tant besoin de vous rencontrer…

En plus, je ne sais même pas comment vous reconnaître ! Moi, j'aurai un pantalon beige et un tee-shirt blanc à manches longues. Et un pull rouge s'il fait frais. Et si jamais il pleut, j'aurai un coupe-vent bleu foncé à capuche.

A après-demain j'espère,

Emma

[22 juin]

Louis,

Cela fait plus d'un mois que vous ne répondez plus aux lettres que je vous dépose. Celle que je vous ai déposée la semaine dernière est restée accrochée à la plaque pendant 4 jours avant que je la décroche pour la jeter. La rosée l'avait rendue illisible. Je vous avoue que je suis inquiète. Je me fais du souci pour votre santé.

J'espère que vous allez bien et que vous pourrez lire cette nouvelle lettre.

J'ai de grandes nouvelles à vous annoncer. Nous avons retrouvé la fiancée de Frédéric. Elle est encore vivante, elle nous a écrit.

S'il vous plaît répondez-moi.

Mille pensées.

Emma Chatrier

[*Libération* du 11 juillet, rubrique des petites annonces]

Recherche toutes infos sur la mort de Frédéric de Bois-Léger, tué devant le 149, boulevard Saint-Michel par les Allemands le 21 août 1943 et sur son ami Louis Préaumont.
Contacter Emma au 06 81 12 XX XX

Louis,

Je suis vraiment inquiète. C'était hier l'anniversaire de la mort de Frédéric et vous ne donnez toujours pas signe de vie.

La mairie avait fait fleurir la plaque avec un joli bouquet bleu-blanc-rouge. Mais le plus incroyable, c'est qu'il y a des gens qui sont passé déposer des fleurs toute la journée.

Paul et Marie-Claire, vous savez, les étudiants que j'ai rencontrés grâce à vous, eh bien figurez-vous qu'ils ont interrompu leurs vacances pour être là. Le fleuriste d'à côté a déposé une énorme gerbe de la part du touriste allemand qui avait déjà fait mettre des fleurs à Noël.

Comment imaginer que vous soyez absent un jour pareil. Je vais vous avouer quelque chose : j'ai pleuré. Oui, quand quatre anciens combattants sont venus déposer une gerbe de la part du colonel je-ne-sais-plus-quoi, qui avait l'air de vous connaître. Ils avaient mis leurs vieux uniformes, avec toutes leurs médailles. Ils se sont mis au garde-à-vous devant la plaque de Frédéric. Tous les gens qui passaient sur le trottoir se sont arrêtés. C'était comme un adieu à Frédéric de Bois-Léger.

Alors, les quatre anciens combattants ont chanté le Chant des partisans.

Rien que de vous en parler, j'ai la chair de poule. « Ami entends-tu le vol noir des corbeaux sur nos plaines… » Vous connaissez mieux que moi, j'en suis sûre. Je ne savais pas que c'était l'hymne de la résistance.

Un chant très émouvant, en tout cas. Même si tout le monde chantait faux, c'est pas grave, c'était un très beau moment.

J'aimerais tellement pouvoir venir vous aider si vous avez des problèmes.

Je vous en prie, faites-moi signe.

Amitiés.

Emma Chatrier

Secrétariat d'Etat aux Anciens Combattants
Section des Archives
Bureau 722

Mlle Emma Chatrier
240, rue Saint-Jacques
75005 Paris

Paris, le 3 septembre 2006

Mademoiselle,

J'ai bien noté votre demande de renseignements concernant Louis Préaumont. En théorie, je ne suis pas autorisé à mener ce type de recherche personnelle. Mais j'ai été touché par votre supplique, je l'avoue. J'ai donc mené quelques investigations dans les fichiers des anciens combattants et des résistants civils. Son nom ne figure dans aucun de nos registres. M. Préaumont n'a jamais fait partie de l'armée française régulière. Et concernant les réseaux de Résistance, il aura probablement changé de patronyme en y entrant. Cela était fréquent à l'époque.

En vous présentant mes sincères regrets, je vous souhaite le succès dans vos démarches.

Emile Duclos
Responsable départemental
des archives militaires

[*Le Parisien* du 22 septembre 2006, pages
« Paris »]

Adieu Loulou, SDF et gentleman
C'était une figure légendaire du quartier
Saint-Michel. A 82 ans, Loulou est mort
hier des suites d'une longue maladie.
Ayant refusé d'être hospitalisé, Loulou est
mort sur le carré de trottoir qu'il habitait
depuis plus de cinquante ans devant le
137, boulevard Saint-Michel (V^e arr.,
photo ci-contre). « Plus qu'un SDF ou un
clochard, Loulou était l'ami de tous les
gens du quartier, témoigne Martine, une
boulangère voisine. Toujours prêt à rendre
service, le sourire aux lèvres. Il avait
choisi de vivre dans la rue, c'était sa
manière d'être libre. » Décrit par ceux qui
le croisaient chaque jour comme un
homme « discret », et même « élégant,
à sa manière », Louis Préaumont, dit
« Loulou », tenait à sa dignité.
Eternellement vêtu d'une cravate, il n'avait
jamais accepté d'être hébergé par les
services d'assistance aux sans-abri. Les

habitants et commerçants du quartier annoncent qu'ils lui rendront hommage lors d'une cérémonie religieuse à l'église Saint-Jacques-du-Haut-Pas, rue Saint-Jacques, le 25 septembre à 11 h.

[*Le Parisien Dimanche* du 24 septembre 2006, pages « Paris »]

Mort d'un clochard propriétaire !
Loulou, le SDF retrouvé mort devant le 137, boulevard Saint-Michel (nos éditions de vendredi 22) n'était pas un sans-abri comme les autres ! Selon la Préfecture de Police, jointe par *Le Parisien*, Louis Préaumont, qui vivait sur le trottoir du boulevard depuis une cinquantaine d'années, possédait un appartement dans le quartier ! Un deux-pièces situé rue Gay-Lussac, au-dessus de l'épicerie qui avait appartenu à ses parents jusqu'à la fin des années 40. Nul ne sait pourquoi « Loulou » avait choisi d'habiter dans la rue. Celui que les habitants du quartier surnommaient le « gentleman clochard » est décédé en emportant son secret avec lui. Une cérémonie religieuse rendra hommage à cette figure du boulevard Saint-Michel le 25 septembre à 11 heures à l'église Saint-Jacques-du-Haut-Pas.

[24 septembre]

Vous qui passez devant cette plaque, ayez une pensée pour Frédéric de Bois-Léger, qui a donné sa vie pour sauver Paris.

Et priez pour son ami Louis Préaumont, qui lui est resté fidèle jusqu'à sa mort, le 21 septembre 2006.

Nos fleurs et nos messages sont le meilleur hommage qu'on puisse leur rendre.

[26 septembre]

S'il vous plaît,
qu'est-ce que je fais avec toutes ces fleurs,
moi, maintenant ?
Et bravo pour les bougies, ça dégouline
de partout.
La gardienne du 149.

FIN

Mes sincères remerciements

À Carole, bien sûr ;

à Antoine A., Jean-François L. et Phi-
lippe L. pour leur amical soutien ;

à Christophe R. pour son enthou-
siasme.

Achevé d'imprimer sur les presses de

BUSSIÈRE

GROUPE CPI

à Saint-Amand-Montrond (Cher)
en avril 2007
pour les Éditions Presses de la Renaissance

Pour en savoir plus
sur les Presses de la Renaissance
(catalogue complet, auteurs, titres,
extraits de livres, revues de presse,
débats, conférences...),
vous pouvez consulter notre site Internet :

www.presses-renaissance.fr

N° d'édition : 326. — N° d'impression : 071617/1.
Dépôt légal : mai 2007.

Imprimé en France